Y0-BPV-963

LE MONDE MERVEILLEUX DES ANIMAUX

LES POISSONS ROUGES

Robert Hirschfeld

EN BREF

Classification des poissons rouges

Classe:	*Téléostéens*
Ordre:	*Cypriniformes*
Famille:	*Cyprinidés* (carpe)
Genre:	*Carassius* (poisson d'eau douce)
Espèce:	*Carassius auratus*

Aire de répartition. Originaires de Chine, les poissons rouges ont été exportés vers beaucoup d'autres régions du monde, dont l'Amérique du Nord et l'Europe.

Habitat. Aquariums, bassins d'ornement.

Caractéristiques physiques. Les poissons rouges domestiqués sont longs de 2,5 à 10 centimètres; le plus souvent de couleur rouge ou d'un orange cuivré. À l'état sauvage, ils peuvent atteindre une longueur de 30 centimètres et sont de leur couleur d'origine, d'un brun verdâtre.

Mode de vie. Gros mangeurs. Capables de vivre dans différents environnements.

Régime alimentaire. Les poissons rouges sont omnivores, se nourrissant de petits crustacés et de plantes aquatiques.

Données de catalogage avant publication (Canada)

Hirschfeld, Robert, 1942-
Les poissons rouges

(Le monde merveilleux des animaux)
Traduction de: Goldfish.
Comprend un index.
ISBN 0-7172-3191-7

1. Carassin doré — Ouvrages pour la jeunesse. I. Titre. II. Collection.

SF458.G6H5714 1998 j639.37484 C98-930240-7

Cette édition exclusive, à reliure renforcée, a été éditée et traduite en 1998 par:

Grolier Éducation
2925 Côte de Liesse
Montréal, QC
H4N 2X1

Collection ISBN 0-7172-3184-4
Les poissons rouges 0-7172-3191-7

Table des matières

Les poissons rouges figurent parmi les animaux de compagnie les plus populaires au monde.

Comme les chats et les chiens, les poissons rouges comptent parmi les animaux de compagnie favoris. Faciles d'entretien et fascinants à observer, ils existent en de nombreuses variétés. Certains sont d'allure simple, d'autres resplendissent de beauté et de couleurs.

Depuis plus d'un siècle, des millions de gens rapportent chez eux des poissons rouges, comme animaux familiers, dans de petits bocaux en verre. Malheureusement, la plupart de ces poissons ne peuvent pas survivre dans un milieu si peu adéquat. On croit donc souvent que les poissons rouges sont de constitution délicate et difficiles à garder. Mais pas du tout!

En fait, les poissons rouges sont résistants et peuvent vivre très longtemps, même dans des conditions difficiles. Beaucoup de variétés sont si robustes qu'elles peuvent prospérer à l'extérieur, dans des étangs ou des bassins. Pas étonnant alors que les poissons rouges soient, depuis bien longtemps, si appréciés comme animaux de compagnie.

L'histoire des poissons rouges

On croit que les Chinois ont été les premiers à élever des poissons rouges, pour en faire des animaux familiers. Tout a commencé avant l'an 1000 de l'ère chrétienne, avec un poisson sauvage appelé carassin. Personne ne sait pourquoi les Chinois aimaient tant les poissons rouges, mais on pense que c'était en partie à cause de leur robustesse et de leur belle couleur dorée.

Les Japonais ont perfectionné ce passe-temps pour en faire un art! Dès les années 1500, ils utilisent des méthodes d'élevage sélectif pour créer bon nombre de ces créatures aux couleurs vives qu'on voit aujourd'hui dans les livres et les aquariums.

Le plaisir de posséder des poissons rouges gagne l'Europe vers 1700. En 1876, on importe pour la première fois des poissons rouges aux États-Unis et les Américains sont bientôt fascinés par ces gracieuses créatures. Vers 1900, des pisciculteurs produisent déjà des millions de poissons rouges, de formes et de couleurs extraordinairement variées, pour le marché national.

Depuis, la popularité des poissons rouges connaît périodiquement des hauts et des bas. Mais ils restent parmi les animaux de compagnie favoris.

Vers 1500, les Japonais amateurs de poissons rouges élevaient de beaux poissons exotiques.

Son corps en forme de torpille aide le poisson rouge à fendre l'eau.

Une affaire de poisson

La forme et la structure du poisson sont parfaitement adaptées à une existence dans l'eau. Grâce à son corps hydrodynamique, en forme de torpille, le poisson se déplace facilement et rapidement dans l'eau. Les nageoires de sa queue le font avancer vers l'avant, tandis que ses nageoires situées sur le ventre, les côtés et le dos l'aident à se diriger.

La vessie natatoire est une autre partie du corps utile à la natation. Quand cet organe se remplit de gaz, le poisson monte; quand il se vide, le poisson descend.

La plupart des poissons possèdent une sorte d'armure qui les protège des blessures et des attaques. Faite d'écailles incolores, elle couvre son corps entier.

Les poissons possèdent aussi un appareil respiratoire qui leur permet de vivre dans l'eau. Tout comme nous, ils ont besoin d'oxygène. Mais au lieu de respirer par des poumons, ils respirent par des branchies grâce auxquelles ils captent l'oxygène contenu dans l'eau.

Les poissons ont le sang froid, ce qui veut dire que la température de leur corps change selon la température de leur milieu. Cette caractéristique les aide à survivre même en eau froide.

Pas tous pareils

Il y a deux catégories principales de poissons: les poissons d'eau douce (qui vivent dans les rivières, les lacs et les étangs) et les poissons d'eau de mer, qui vivent dans les océans et les mers. Tous les poissons rouges sont des poissons d'eau douce.

Il existe à peu près 125 espèces de poissons rouges. Beaucoup d'entre eux sont de couleur dorée, mais d'autres sont noirs ou bariolés. Les poissons rouges exotiques sont souvent d'apparence bizarre, avec des yeux protubérants, des nageoires doubles ou triples, et une prodigieuse gamme de couleurs. Les plus rares paraissent laids, surtout ceux qui ont une tête de forme étrange.

Les variétés les plus singulières exigent des soins plus compliqués. Mais même les poissons rouges exotiques peuvent vivre longtemps, si on s'en occupe bien.

Ces poissons peuvent être non seulement dorés ou orange, mais aussi de bien d'autres couleurs.

Comment choisir des poissons rouges

Une des meilleures façons d'acheter des poissons rouges en excellente santé, c'est de trouver une animalerie réputée pour sa qualité et sa propreté. Le mieux est de choisir des poissons bons nageurs, aux yeux clairs et aux nageoires dressées. Un poisson aux yeux troubles pourrait être aveugle; des nageoires tombantes pourraient indiquer que le poisson est malade.

Méfiez-vous des poissons morts! Il est normal d'en trouver, dans n'importe quelle animalerie. Mais s'il y en a trop, c'est signe de problème.

Tout acheteur devrait se sentir libre de poser des questions au propriétaire du magasin. Si le propriétaire hésite à répondre, ou n'en est pas capable, mieux vaut aller ailleurs.

Généralement, les acheteurs novices devraient éviter d'acheter des variétés de fantaisie. Les variétés exotiques sont en effet souvent plus chères et, surtout, elles exigent des soins experts.

Il est conseillé de ne mettre qu'une seule variété de poissons rouges dans un même réservoir ou aquarium. Certaines variétés nagent plus vite que d'autres, et risquent donc de s'emparer de toute la nourriture.

Les meilleures variétés pour débutants

Les meilleures variétés pour novices sont celles qui n'exigent pas de soins particuliers. Les poissons rouges à queue unique, comme le poisson rouge ordinaire, le poisson comète ou le shubunkin, sont d'habitude assez robustes et faciles d'entretien.

Le poisson rouge commun est habituellement orange vif, a un corps long et hydrodynamique à la queue courte. C'est un poisson très actif qui peut vivre jusqu'à 10 ans.

Le poisson comète est une variété développée aux États-Unis vers la fin des années 1880. De la même apparence que le poisson rouge commun, le poisson comète a une queue plus longue, terminée en pointe.

Même si leur nom prête à croire qu'ils sont rares ou exotiques, les shubunkins sont réellement plus robustes que les variétés comme le poisson comète et le poisson rouge commun. (Shubunkin est un mot japonais qui veut dire poisson d'un rouge foncé.) Ces nageurs très puissants ont besoin d'un réservoir particulièrement grand. Bien soignés, les shubunkins peuvent vivre jusqu'à 20 ans.

La plupart des poissons rouges exotiques ont des queues doubles et des nageoires caudales longues qui balaient l'eau.

Imaginez!

La plupart des poissons rouges exotiques ont une queue double, et sont de forme hydrodynamique, mais certaines variétés ont un corps plus rond. Ces derniers sont des nageurs plutôt lents et devraient vivre séparés des variétés plus rapides. En effet, quand vient le moment de les nourrir, il pourrait y avoir des conflits.

Le queue-éventail est l'un des plus populaires parmi les poissons rouges à corps arrondi. Il doit son nom à ses nageoires caudales doubles en forme d'éventail. De couleur orange vif ou blanc, le queue-éventail adulte a un corps long de 10 cm, et une queue longue de 10 cm elle aussi. Très robuste, il peut vivre de cinq à 10 ans; il s'accommode aussi bien d'un bac ordinaire que d'une mare à l'extérieur.

Un autre poisson rouge de fantaisie, l'oranda, a besoin d'une température d'eau très stable, d'environ 18 °C. On le garde donc généralement à l'intérieur. De couleur orange ou rouge, l'oranda a une tête bizarre, couverte de bosses, qui ressemble à un chou-fleur!

La variété télescope est l'un des poissons rouges exotiques les plus inhabituels. Ce poisson voit très mal parce que ses yeux font saillie sur les côtés de sa tête.

Les poissons rouges à corps arrondi nagent moins bien et moins vite que les variétés à corps fusiforme.

Attention aux mauvais nageurs!

Certaines variétés de poissons rouges à corps arrondi n'ont ni nageoires dorsales ni nageoires pectorales, ce qui fait d'eux les pires nageurs. Ils ont besoin de soins experts.

Le poisson rouge tête de lion (ou tête de tomate) est l'un des plus intéressants. Il doit son nom, et l'attention qu'on lui porte, à la crinière qui pousse sur sa tête comme une grande boursouflure. Doré et parfois jaune, le poisson tête de lion a un corps trapu et pesant et peut mesurer jusqu'à 12,5 cm.

Le pompon a lui aussi une drôle de tête, avec deux «fleurs» rondes qui poussent sur son nez! Un autre poisson rouge, appelé brocart, est orné de motifs hauts en couleurs qui lui donnent l'apparence d'un tissu précieux.

Les yeux étranges sont caractéristiques des poissons rouges exotiques à corps arrondi. Les célestes, par exemple, ont des yeux protubérants tournés vers le haut, et ne peuvent donc pas voir droit devant eux.

Acquéreur pour la première fois, vous feriez bien d'éviter les poissons rouges exotiques d'entretien difficile.

Comment commencer

S'occuper d'un animal, peu importe lequel, est toujours un engagement. Avant de prendre la responsabilité de poissons rouges, les propriétaires en herbe devraient se renseigner sur les coûts et les soins à donner. La plupart des animaleries vendent à bon prix des guides sur les poissons rouges. La lecture d'un de ces livres fera l'éducation des acheteurs.

Les bons magasins d'aquariums et les bonnes animaleries offriront toute une variété de poissons rouges. Ils vendront aussi toute la nourriture et tout l'équipement nécessaires pour élever les poissons et les garder en bonne santé. Les gens qui y travaillent devraient pouvoir vous conseiller quant au choix des poissons et quant aux fournitures. Ils devraient aussi vous renseigner sur le nombre de poissons par lequel commencer, sur les variétés à acheter, et sur l'installation d'un bac ou d'un aquarium.

Le plus important, c'est de poser de bonnes questions et d'être honnête envers soi-même. Si vous n'avez pas beaucoup de temps pour vous occuper des poissons, vous devriez choisir ceux qui exigent le moins de soins.

Pas de bocaux, S.V.P.

Avant d'acheter des poissons, il faut penser où les loger! La grandeur et la forme du contenant est la première chose à considérer.

On voit souvent des poissons rouges dans un tout petit bocal rond. Mais un bocal de ce genre ne convient pas pour devenir une demeure à long terme. D'abord, la surface de l'eau, en contact avec l'air pour procurer l'oxygène aux poissons rouges, est trop restreinte. De plus, il n'y a pas assez d'espace pour que les variétés actives puissent nager librement.

Fait surprenant, les poissons rouges ont besoin de beaucoup d'espace. Il faut s'en souvenir quand on en achète et quand on installe leur future résidence. Les poissons rouges grandissent rapidement et deviennent vite trop gros pour un petit réservoir. Les poissons rouges sont aussi de gros mangeurs, qui produisent beaucoup d'excréments. Si leur bac est trop petit, cela risque de poser un problème.

Les experts recommandent donc un réservoir d'au moins 75 litres pour quatre poissons rouges. Au début, un tel réservoir peut sembler trop grand et trop coûteux. Mais à la longue, il hébergera des poissons plus heureux et en meilleure santé.

Pour prospérer, les poissons rouges ont besoin de beaucoup d'espace, ainsi que d'un équipement spécial.

L'équipement d'un aquarium

Les poissons rouges ne sont pas très exigeants, mais une chose leur est essentielle: un réservoir assez vaste. Comme pour beaucoup d'animaux de compagnie, il faut investir dans un équipement adéquat.

L'aquarium, par exemple, devrait être muni d'un couvercle qui le ferme. Fait de verre ou de plastique, ce couvercle empêche les poissons de sauter hors du réservoir.

Le bac aura aussi besoin d'éclairage. La plupart des systèmes d'éclairage pour aquarium s'adaptent avec précision à ses dimensions. Les meilleurs utilisent des tubes fluorescents; les tubes incandescents risquent de chauffer l'eau, gênant ainsi les poissons.

Un filtre fait également partie de l'équipement standard; son rôle est de garder l'eau propre. Il existe beaucoup de sortes de filtres; le mieux est donc de se renseigner auprès d'un animalier pour savoir lequel convient à l'aquarium choisi.

La plupart des animaleries vendent aussi un appareil, appelé aérateur, qui pompe des bulles d'air dans l'eau. L'aérateur ajoute de l'oxygène à l'eau et aide à éliminer le gaz carbonique.

Finalement, il y a la chaufferette. Les poissons rouges prospèrent à une température allant de 8 à 18 °C. Normalement, on n'a donc pas vraiment besoin d'un tel appareil.

Les aérateurs pompent des bulles qui apportent de l'oxygène supplémentaire à l'eau de l'aquarium.

Un habitat confortable

À la maison, l'aquarium aura besoin d'une table ou d'un piédestal solide. Rempli d'eau, un réservoir de 75 litres pèsera environ 90 kilogrammes. Il vaut donc mieux tester la solidité du meuble où il sera placé, avant de l'y installer.

Le réservoir et son support devraient être placés à la lumière du jour, mais pas au soleil direct. En effet, le soleil risque de chauffer l'eau, diminuant ainsi la quantité d'oxygène. Le soleil peut aussi accélérer la croissance de plantes minuscules, ou algues. Une petite quantité d'algues dans un bac à poissons rouges est une bonne chose. Mais quand il y en a trop, l'eau devient trouble, et les parois du réservoir deviennent sales.

On met souvent du gravier au fond des aquariums. Pour un réservoir de 75 litres, il faut environ 20 kilogrammes de gravier, qu'on peut acheter dans une animalerie. Il est important de n'introduire aucun germe, aucune trace de produit chimique nocif dans le réservoir. C'est pourquoi il faut laver le gravier à grande eau avant de le placer dans l'aquarium.

Les poissons rouges n'ont pas seulement besoin d'espace; il faut aussi les mettre à l'abri des chatons curieux!

Comment remplir l’aquarium

Après avoir mis le gravier dans l’aquarium, on peut y verser l’eau. L’eau de source est préférable car elle ne contient pas de produits chimiques comme le chlore ou le fluor. Pour éviter de faire bouger le gravier, il est conseillé de mettre un bol au fond du réservoir et d’y verser l’eau doucement.

Quand le réservoir est rempli d’eau, on peut y mettre des plantes. Les animaleries vendent de vraies plantes, que les poissons rouges aiment grignoter, et des plantes artificielles. Il suffit de piquer les plantes, par les racines, dans le gravier.

Finalement, on ajoute le filtre et l’aérateur, puis les ornements désirés. Les directives pour l’installation du filtre et de l’aérateur sont à suivre soigneusement.

Une fois les appareils en marche, il faudra attendre 48 heures avant de mettre les poissons rouges dans le bac. Ce temps servira à filtrer l’eau et à tester les quantités de minéraux et d’acides. La plupart des animaleries vendent de simples appareils qui servent à tester l’eau de l’aquarium et à faire les modifications nécessaires. Cette période d’attente permettra aussi l’évaporation des produits chimiques contenus dans l’eau.

Des yeux protubérants, des têtes bizarres et des nageoires caudales tombantes sont caractéristiques de certains poissons rouges exotiques.

Installation des poissons rouges

Les poissons rouges sont robustes, mais il faut une certaine prudence quand on les rapporte chez soi. À condition d'observer de simples mesurcs, on peut aider les poissons à s'adapter rapidement et en toute sécurité à leur nouvel environnement.

D'habitude, c'est dans un sac en plastique, rempli d'eau de leur ancien réservoir, qu'on rapporte les poissons rouges de chez l'animalier. Pendant une quinzaine de minutes, il faut laisser flotter ce sac, toujours fermé, dans l'eau de l'aquarium. Ceci donne à l'eau du sac le temps de prendre la température de l'eau de l'aquarium.

Ensuite, le mieux est de verser un peu d'eau de l'aquarium dans le sac pour donner aux poissons l'occasion de s'adapter à la nouvelle eau. Il faut alors laisser les poissons tranquilles pendant une quinzaine de minutes. Enfin, on ouvre doucement le sac, laissant les poissons s'aventurer dans leur nouvelle demeure.

La plupart des poissons rouges quittent l'animalerie dans un sac en plastique.

Comment nourrir les poissons rouges

Les poissons rouges sont gourmands - trop gourmands même! Leur propriétaire doit donc garder l'oeil sur le nombre de fois qu'il les nourrit et sur la quantité de nourriture qu'il leur donne.

C'est deux fois par jour, matin et soir, selon un horaire régulier, qu'il faut nourrir les poissons rouges. La quantité de nourriture à mettre dans l'aquarium équivaut à celle que les poissons sont capables de manger en cinq minutes à peu près.

Les poissons rouges aiment une alimentation variée, et la diversité est bonne pour eux. La nourriture la plus commune est sèche, et se présente sous forme de petits flocons. Il est recommandé de mettre cet aliment sec dans un récipient et de le faire tremper dans de l'eau prélevée au réservoir, avant de le donner aux poissons.

Les animaleries vendent de la nourriture congelée ou lyophilisée, comme des insectes et des crevettes, que les poissons rouges aiment beaucoup. La plupart vendent aussi de minuscules vers et insectes vivants. Les poissons rouges mangent même des légumes cuits écrasés ou de la viande de hamburger crue, hachée menue. Mais on ne doit jamais donner aux poissons rouges des aliments faits pour d'autres poissons.

Même les poissons rouges les plus exotiques se régalent d'un bon repas, deux fois par jour.

Soins quotidiens

Pour garder les poissons en bonne santé, il faut exécuter régulièrement certaines tâches, dont quelques-unes quotidiennement.

Comme les poissons sont des créatures aux habitudes régulières, il faut les nourrir aux mêmes heures, chaque jour, de préférence un repas le matin et un autre le soir.

Chose étrange, les poissons dorment! Et ils dorment mieux si la lumière est éteinte. L'éclairage du réservoir devrait donc rester allumé durant la journée, mais être éteint quand vient la nuit.

Chaque jour, il faut aussi inspecter le filtre et l'aérateur. Par la même occasion, on devrait vérifier la température de l'eau avec un thermomètre.

Quand on part en vacances pour une semaine environ, pas besoin de faire venir quelqu'un pour s'occuper des poissons. Si les poissons sont en bonne santé, ils se débrouilleront très bien sans nourriture. Pour des vacances plus longues, il faut trouver quelqu'un pour prendre la relève. De préférence, la personne s'y connaîtra en poissons; sinon, il faudra préparer de petits paquets de nourriture pour qu'elle ne donne pas trop à manger aux poissons. Les poissons rouges peuvent très bien se passer de quelques repas — mais ils souffriront d'une suralimentation.

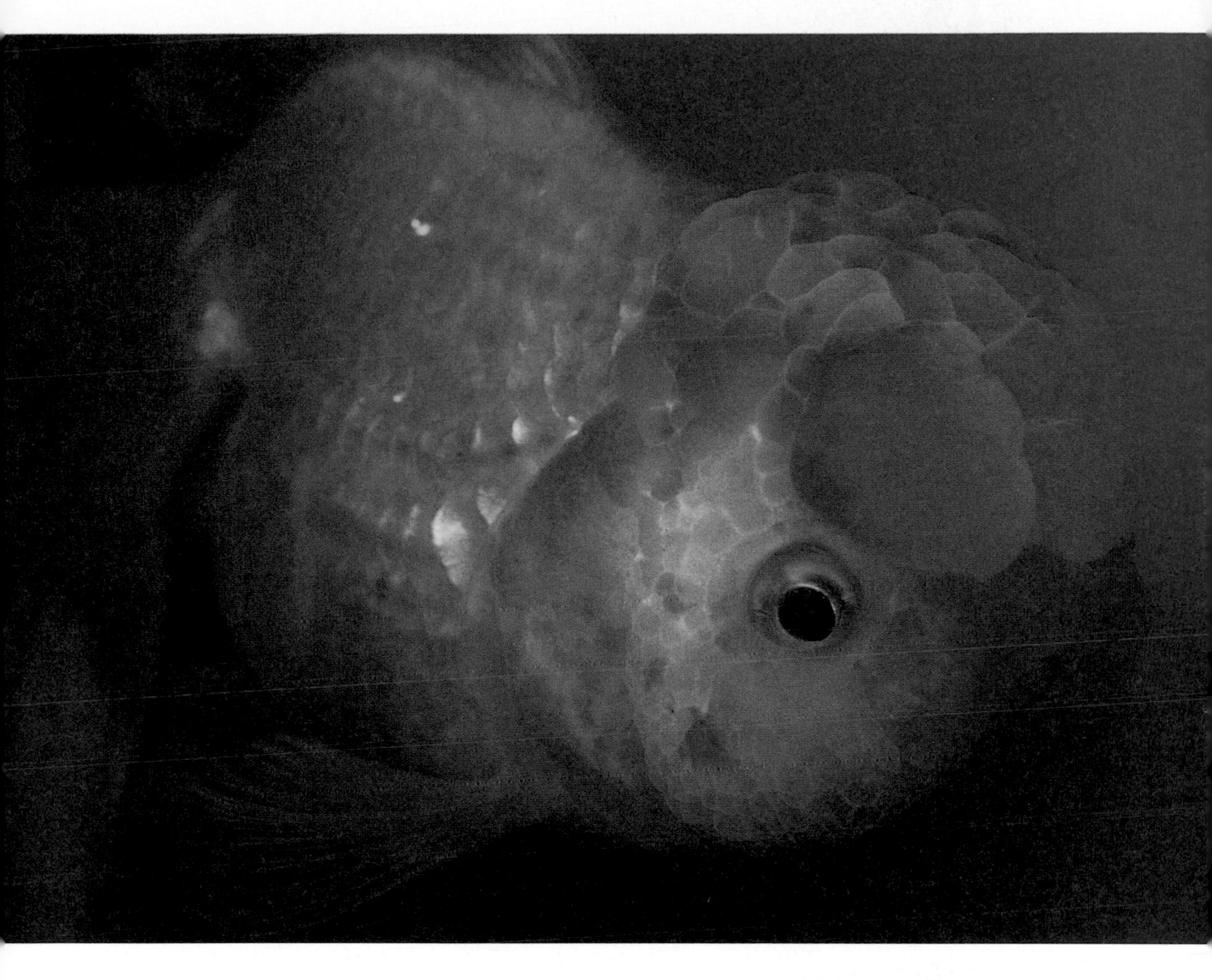

Il y a des poissons rouges qui ont l'air tout à fait bizarre.

Soins hebdomadaires

En plus des soins quotidiens, certains travaux doivent se faire une fois par semaine. La plupart sont simples et ne prennent pas beaucoup de temps.

Une fois par semaine, par exemple, il faut examiner les poissons rouges pour voir s'ils vont bien. Si les poissons manquent de vivacité, ou s'ils flottent de côté ou sur le dos, si leurs corps sont enflés ou s'ils ont les yeux troubles, ils ont peut-être besoin de soins médicaux.

Une fois par semaine aussi, il faut enlever les plantes flétries ou brunies. C'est le moment d'enlever également les déchets du gravier: restes de nourriture, bouts de plantes et excréments. On peut se procurer dans les animaleries un appareil spécial qui facilitera ce nettoyage.

Finalement, il faut remplacer l'eau qui s'est évaporée du réservoir. Normalement, il faut ajouter 7,5 litres d'eau par semaine dans le cas d'un aquarium de 75 litres. L'eau du robinet ne devrait jamais aller directement dans l'aquarium. Le mieux est de garder de l'eau dans des contenants, et de la laisser «reposer» pendant plusieurs jours avant de la verser dans le bac.

Certains poissons rouges arborent des couleurs étonnantes, comme celui-ci qui est presque tout bleu!

Il faut plusieurs générations d'élevage sélectif pour obtenir des poissons rouges aux particularités si étranges.

Soins de temps à autre

Quand on a des poissons rouges, on doit faire de temps en temps certains travaux qu'il ne faut surtout pas oublier.

Une fois par mois, il faut gratter les parois de l'aquarium pour empêcher que les algues n'envahissent le réservoir. Les animaleries et les magasins qui vendent des aquariums ont des outils spéciaux à cet effet. Par la même occasion, il faut aussi débarrasser le filtre, l'aérateur et les ornements des saletés qui s'y sont déposées. Une fois par mois aussi, il est bon de tester l'eau pour déterminer le taux de minéraux et d'acides.

Tous les trois mois, on doit rincer ou remplacer le filtre, pour que l'eau reste aussi propre et aussi pure que possible.

Enfin, il est conseillé de vider et de nettoyer le réservoir une fois tous les six mois, puis de le remplir à nouveau. On lavera alors bien le gravier et on remplacera toute l'eau. Pendant ce remue-ménage, on gardera les poissons dans un récipient rempli d'eau propre.

Tout ce travail peut sembler lourd! En fait, quelques heures suffisent durant l'année.

Parasites et fongosités

Parasites et fongosités (excroissances) peuvent infester les poissons rouges. Ce sont des organismes qui vivent aux dépens d'autres créatures, et qui peuvent leur nuire et se propager. Dès qu'on voit un poisson atteint, il faut le sortir de l'aquarium et le mettre dans un bac séparé, servant en quelque sorte d'hôpital.

Sur les poissons rouges, les fongosités ressemblent à des taches blanches gluantes ou cotonneuses. Les parasites, par contre, sont variés et prennent des formes nombreuses. De minuscules parasites ronds, appelés poux à poissons, s'attachent au corps du poisson. D'autres, appelés vers à ancre, se cachent sous les écailles du poisson. Et de tout petits parasites appelés douves peuvent envahir les ouïes d'un poisson, qui deviendront alors rouges et enflées.

Il est bon de consulter un vétérinaire ou un expert quand on aperçoit des signes de parasites ou de fongosités. Les animaleries vendent des médicaments efficaces. Généralement, tous les poissons d'un bac devront être traités. De cette façon, même si un poisson ne peut être sauvé, ses compagnons auront des chances d'être épargnés.

Certains poissons rouges à l'apparence étrange sont particulièrement difficiles à examiner, pourtant il faut bien vérifier s'ils ont des parasites ou des fongosités.

Autres problèmes de santé

Les parasites et fongosités ne sont pas les seuls problèmes de santé qui menacent les poissons rouges. Ces animaux peuvent devenir constipés, ou attraper une indigestion.

La nourriture sèche semble ne pas convenir à certaines variétés de poissons rouges, comme le magnifique queue-de-voile, à la longue nageoire postérieure flottante.

Un poisson au corps enflé, qui repose au fond de l'aquarium, peut souffrir de troubles alimentaires et avoir besoin d'un changement de régime. Il faut alors le placer dans un bac-hôpital et ne rien lui donner à manger pendant quelques jours. S'il redevient actif, on peut alors le nourrir avec des aliments lyophilisés, pendant une semaine, puis le remettre dans l'aquarium.

Un poisson qui nage sur le côté ou la tête en bas souffre probablement d'un mal à la vessie natatoire. Une nourriture spéciale, vendue dans les animaleries, y remédiera peut-être.

Les poissons rouges peuvent aussi développer des tumeurs, qui ressemblent à des bosses. Un vétérinaire pourra enlever la plupart de ces tumeurs assez facilement et sans danger.

Il faut s'assurer que les poissons ne semblent pas léthargiques et que leurs nageoires ne pendillent pas mollement.

Les poissons rouges à l'extérieur

Les poissons rouges capables de s'adapter à des températures changeantes peuvent prospérer dans un étang extérieur. Parmi eux, citons le poisson rouge commun, le poisson comète et les variétés du queue-éventail.

Le koi japonais est le champion des poissons capables de vivre dehors, dans un étang ou un bassin. Le koi a des barbillons ou filaments qui ressemblent à une moustache. Il peut vivre jusqu'à 60 ans!

Un étang extérieur aménagé pour des poissons rouges devrait être en partie au soleil et en partie à l'ombre. Il ne devrait pas dépasser une profondeur d'un mètre environ et ne devrait jamais être surpeuplé. Ce point est très important, car les poissons d'étang deviennent bien plus grands que les poissons d'aquarium. Quelques-uns peuvent atteindre une longueur de 45 centimètres.

Dans les régions au climat froid, on rentre d'habitude les poissons rouges d'extérieur avant l'hiver, pour les mettre dans un aquarium d'intérieur, à température douce.

Le propriétaire d'un étang à poissons rouges devra se rappeler que beaucoup d'animaux, surtout les oiseaux et les chats, aiment se nourrir de poissons. Pour eux, le splendide bassin aménagé pourrait se transformer en simple snack-bar.

L'élevage de poissons rouges

Pour faire l'élevage de poissons rouges, il faut un équipement approprié, entre autres un deuxième aquarium. Le long des parois de cet aquarium d'élevage (de frai), il faudra mettre de vraies plantes aquatiques, sans encombrer le centre. Il faudra aussi se procurer de la nourriture spéciale pour les poissons adultes et des aliments pour les nouveau-nés.

Les femelles peuvent commencer à frayer ou pondre dès l'âge d'un an. Le frai a lieu au printemps ou durant l'été.

Pendant quelques mois avant le frai, les poissons sont à placer dans de l'eau plus fraîche, d'une température à peine supérieure à 10 °C. Durant cette période, ils ont besoin de moins de nourriture, soit seulement ce qu'ils peuvent manger en trois minutes. Les aliments riches en calories, comme les miettes de pain, les minuscules morceaux de pâtes, sont recommandés.

Quand arrive la période du frai, l'eau doit être plus chaude, d'une température de 20 °C environ. Le mâle et la femelle ont alors besoin de plus de nourriture, soit autant qu'ils peuvent en consommer en six minutes. Les aliments doivent être riches en protéines, comme les oeufs, le bœuf, les crevettes et les vers.

La saison des amours

À la saison des amours, il faut préparer un bac séparé, pour y placer deux poissons rouges adultes : l'un mâle, l'autre femelle. Il est parfois difficile de distinguer un mâle d'une femelle, mais en général la femelle a l'air plus ronde, car elle porte des œufs. Le mâle développe autour de ses ouïes des petites grosseurs qui ressemblent à des boutons.

La femelle se frotte contre les plantes du réservoir et pond ses œufs, à peine de la grosseur d'un grain de sucre. Rapidement, les œufs s'imbibent d'eau et gonflent.

Le mâle dépose alors près des œufs un liquide contenant le sperme qui les fertilisera.

Une fois fertilisés, les œufs vont soit tomber au fond du réservoir, soit rester collés à la surface des plantes. Il faudra alors remettre les deux poissons adultes dans leur aquarium habituel, sans quoi ils mangeraient les œufs.

Un grand nombre de jeunes et beaux poissons viendra récompenser ceux et celles qui font l'élevage de poissons rouges.

Comment s'occuper des nouveau-nés

La température de l'eau dans le bac qui contient les œufs devrait être de 21 °C à peu près. Si tout se passe bien, les premiers œufs commenceront à éclore après cinq jours environ. Puis, les uns après les autres, tous s'ouvriront.

Pendant environ deux jours après l'éclosion, les nouveaux poissons (le frai) restent collés aux plantes ou aux parois du réservoir. Ils vivent alors de la nourriture emmagasinée dans l'œuf.

Le frai grandit vite. Dès que les jeunes poissons commencent à bouger, il faut les nourrir. On trouve de la nourriture pour le frai dans les animalcries et les magasins d'aquariums. Il est bon de séparer le frai plus gros du plus petit, qui risque de se faire manger.

Après deux semaines, les jeunes poissons ont besoin d'une nourriture différente. Les larves de certains petits animaux appelés daphnies sont en vente dans les animaleries et constituent une excellente source d'alimentation.

Un poisson adulte peut avoir jusqu'à 25 petits, dont seuls les plus robustes vont survivre. Durant les deux mois qui suivent la naissance, les plus malingres et ceux qui sont mal formés (nageoires manquantes, ou pas d'yeux) vont probablement mourir. Mais après cette période, on aura de jeunes poissons en bonne santé.

Glossaire

Aérateur Appareil qui pompe de l'air dans un aquarium et ajoute ainsi de l'oxygène à l'eau.

Algues Plantes minuscules qui poussent dans l'eau.

Barbillons Filaments qui ressemblent à des moustaches.

Branchies Organes par lesquels le poisson respire.

Écailles Petites plaques qui recouvrent la peau des poissons.

Douve Parasite des poissons.

Fongus Plantes qui se nourrissent d'autres plantes ou d'animaux, ou de plantes et animaux en décomposition.

Frai Très jeunes poissons.

Frayer Pondre des œufs (femelle du poisson).

Habitat Environnement naturel où vit une plante ou un animal.

Nageoires Extensions minces et plates du corps du poisson, qui lui servent à se déplacer et à s'équilibrer dans l'eau.

Nageoire dorsale Nageoire située sur le dos du poisson.

Vessie natatoire Petit réservoir rempli de gaz, ressemblant à un ballon, dans l'abdomen du poisson. Le poisson la gonfle pour s'élever dans l'eau et la dégonfle pour descendre.

Index

Couverture: D. DeMello (Wildlife Conservation Society)

Crédits des photographies: Norvia Behling (Behling & Johnson Photography), page 25; Richard T. Bryant, page 8; D. DeMello ((Wildlife Conservation Society), pages 14, 27, 45; Robert W. Ginn (Unicorn Stock Photos), page 29; Shirley Haley (Top Shots), page 21; Wernher Krutein (Photovault), pages 7, 11,16, 18, 23, 31, 33, 35, 36, 39, 41; SuperStock, Inc., page 4.